La nature en danger

écrit par **Sean Callery**
traduit et adapté par **Marie-Claire Vitale**

 **Nathan**

Édition originale parue sous le titre :
I Wonder Why There's a Hole in the Sky
Copyright © Macmillan Children's Books 2008, 2012
une division de Macmillan Publishers Ltd., Londres
Auteur : Sean Callery
Consultant : Michael Chinery

Illustrations : Mark Bergin 25, 30-31 ; Martin Camm 18-19 ;
Peter Dennis (Linda Rogers Agency) 10, 12, 14-15, 26-27, 28,
couverture : décharge ; Chris Forsey 16 ; Linden Artists 3, 9, 21,
22, 29 ; Julian Baker page de titre, 6, 8, 10-11, 30-31 ; Peter
Wilks (SGA) tous les dessins humoristiques, autres
illustrations de couverture © Kingfisher.

Édition française :

Copyright © 2008, 2013 NATHAN

Copyright © 2015 Éditions NATHAN, SEJER,
25 avenue Pierre de Coubertin, 75013 Paris
pour la présente édition

Adaptation : Marie-Claire Vitale

Réalisation : Martine Fichter

N° d'éditeur : 10208662

ISBN : 978-2-09-255752-5

Dépôt légal : mars 2015

Loi n°49-956 du 16 juillet 1949 sur les publications destinées
à la jeunesse, modifiée par la loi n°2011-525 du 17 mai 2011.

Achevé d'imprimer en janvier 2015 par Wing King Tong
Products Co. Ltd., Shengen, Guangdong, Chine

www.nathan.fr

LES QUESTIONS DU LIVRE

Pourquoi y a-t-il de la vie sur Terre ?

La vie est possible sur Terre car il n'y fait ni trop chaud, ni trop froid. Nous sommes à la bonne distance du Soleil pour bénéficier de sa chaleur et de sa lumière. Nos voisines n'ont pas cette chance : sur Vénus (trop chaude) ou sur Mars (trop froide), la vie n'existe pas.

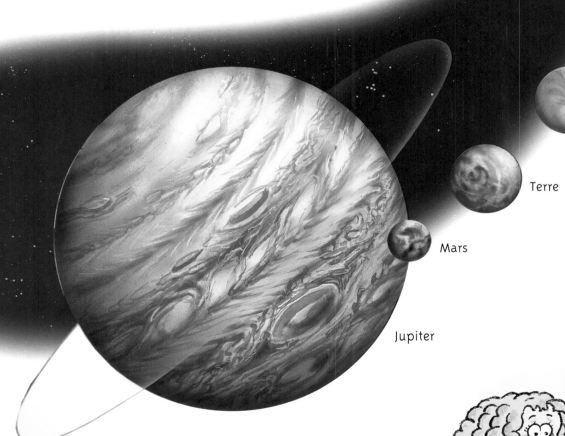

Soleil

Mercure

Vénus

Terre

Mars

Jupiter

Certains experts surnomment la Terre la « planète de Boucle d'Or ». Pourquoi ? Parce qu'elle est comme la soupe de l'héroïne du conte *Boucle d'Or et les Trois Ours* : ni trop chaude, ni trop froide.

Comment une étoile peut-elle nous réchauffer ?

Le Soleil est une étoile, tout comme celles qui brillent la nuit dans le ciel. Il semble plus gros qu'elles parce qu'il est beaucoup plus proche de nous. Ses rayons, ardents, réchauffent la Terre.

Il faut 8 minutes aux rayons du Soleil pour parcourir, à la vitesse de 1,8 milliard de kilomètres à l'heure, les 150 millions de kilomètres qui le séparent de la Terre.

Les nuages sont composés de minuscules gouttes d'eau qui, en se heurtant, en forment de plus grosses. Quand les gouttes ont trop grossi, elles tombent sous forme de pluie ou de neige.

Qu'est-ce que le temps ?

Il existe toutes sortes de temps : ensoleillé, nuageux, pluvieux, neigeux, venteux, orageux… La chaleur du Soleil et les mouvements de l'air au-dessus du sol modifient le temps. Le climat est le temps habituel qu'il fait dans une région ou un pays.

Les différents types de temps

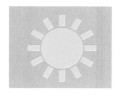     

| ensoleillé | nuageux | grosse pluie | orage | neige | cyclone tropical |

Comment la Terre garde-t-elle sa chaleur?

La Terre est entourée par l'atmosphère, une sorte d'enveloppe gazeuse épaisse de plusieurs centaines de kilomètres. Cette enveloppe est constituée de plusieurs couches de différentes épaisseurs (voir ci-contre) et retient la chaleur comme une couverture. L'atmosphère sert aussi à protéger la Terre des rayons du Soleil.

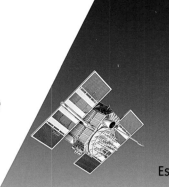

Espace

Exosphère

Thermosphère

Nous ne voyons pas l'atmosphère qui entoure la Terre parce que les gaz qui la composent sont invisibles. Sur Mars, le ciel semble brun orangé parce que son atmosphère est pleine de poussière rouge.

Mésosphère

Stratosphère

Troposphère

Pourquoi parle-t-on d'effet de serre ?

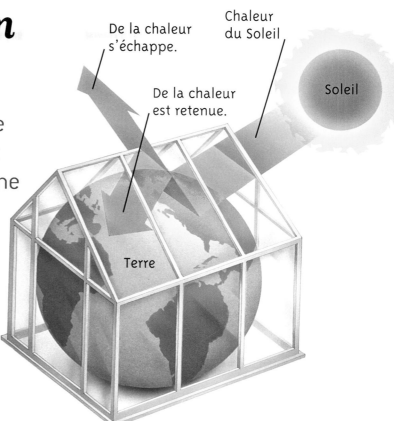

De la chaleur s'échappe.

Chaleur du Soleil

De la chaleur est retenue.

Soleil

Terre

Il fait très chaud dans une serre parce que les parois en verre emprisonnent la chaleur. Pour la Terre, cela fonctionne de façon identique. Certains gaz de l'atmosphère retiennent une grande partie de la chaleur produite par les rayons du Soleil : ce sont les gaz à « effet de serre ». Ils contribuent au réchauffement climatique et créent des déséquilibres dangereux pour la planète quand il y en a trop.

Quels sont les gaz à effet de serre ?

Le plus important de ces gaz est la vapeur d'eau (de l'eau à l'état liquide changée en gaz). Les autres gaz à effet de serre sont, entre autres, le gaz carbonique, le méthane et l'oxyde d'azote (voir pages 10-11). Certains de ces gaz peuvent stagner dans l'atmosphère de la Terre pendant plus de 100 ans.

Les gaz à effet de serre sont produits par la nature mais aussi par l'activité humaine : ainsi, les volcans comme les voitures dégagent du gaz carbonique.

Les arbres sont-ils nécessaires à la vie ?

Les arbres absorbent le gaz carbonique, un gaz à effet de serre toxique pour l'homme, et rejettent de l'oxygène, gaz indispensable à la vie humaine. Les arbres emmagasinent aussi du carbone dans leur tronc. S'il n'y avait pas d'arbres, il y aurait tellement de gaz carbonique dans l'air que nous ne pourrions plus respirer.

Les forêts tropicales abritent les deux tiers des animaux et plantes vivant sur Terre. Des milliers d'entre eux ne se rencontrent que dans ces forêts, aujourd'hui menacées par l'homme. Détruire ces forêts, « poumons » de notre planète, c'est aussi anéantir toutes ces espèces.

C'EST MA MAISON !

Qu'est-ce que le cycle de l'eau ?

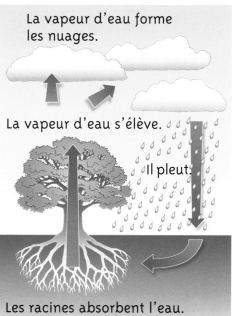

La vapeur d'eau forme les nuages.

La vapeur d'eau s'élève.

Il pleut.

Les racines absorbent l'eau.

L'eau suit un cycle. Absorbée par les racines des arbres, elle monte jusque dans les feuilles et se diffuse dans l'air à l'état de vapeur. Celle-ci s'évapore et forme les nuages. Et dès que la pluie se met à tomber, le cycle recommence.

Si tu plantes un arbre, il emmagasinera du carbone et contribuera ainsi à réduire les gaz à effet de serre.

Pourquoi ne faut-il pas détruire les forêts ?

Abattre et brûler des arbres est dangereux pour notre planète. Les arbres seront de moins en moins nombreux à produire de l'oxygène et le sol mis à nu sera plus facilement inondé. En outre, brûler du bois libère aussi du gaz carbonique dans l'atmosphère.

Au cours des 60 dernières années, environ la moitié des forêts tropicales ont disparu, car les hommes abattent les arbres pour utiliser leur bois et cultiver les terres.

Qu'est-ce qui produit du gaz ?

Les centrales électriques classiques émettent du gaz carbonique en brûlant du charbon, du pétrole et du méthane pour créer de l'énergie. Les voitures, les camions et les avions sont aussi de gros producteurs de gaz carbonique.

Les légères traînées que les avions dessinent dans le ciel sont nocives pour la planète. Constituées de vapeur d'eau, elles dispersent aussi des fumées qui contiennent du gaz carbonique et peuvent même former des nuages artificiels.

Pourquoi l'agriculture pollue-t-elle ?

L'agriculture emploie des fertilisants qui déposent de l'oxyde d'azote dans les champs. Ce gaz ne se trouve pas en grande quantité dans l'atmosphère, mais peut y rester pendant 150 ans. Il est nocif pour l'environnement car il retient la chaleur.

C'est quoi cette odeur?

Quand les vaches ont des flatulences, elles dégagent du méthane qui s'élève dans l'atmosphère. Beaucoup d'animaux (y compris les humains) en produisent. Le méthane provient aussi de la décomposition des déchets et des rizières.

Riziculteurs

Les vaches émettent beaucoup de méthane, car elles mangent de l'herbe qui produit du gaz en se décomposant dans leur système digestif ; ce gaz est lâché ensuite dans l'atmosphère par ces animaux.

Fait-il de plus en plus chaud ?

Sur toute la planète, les températures grimpent. C'est le réchauffement climatique. Durant l'été 2003, l'Europe a eu si chaud que 35 000 personnes sont mortes, dont environ 15 000 rien qu'en France. De nombreux feux ont aussi dévasté des forêts.

En Afrique, la calotte de neige qui coiffe le sommet du Kilimandjaro depuis 11 000 ans est en train de fondre. Certains scientifiques pensent qu'elle pourrait même avoir totalement disparu d'ici quelques décennies.

Est-ce une spirale infernale ?

Cyclones, ouragans, tornades, typhons, toutes ces violences climatiques sont de plus en plus fréquentes dans le monde. On compte aujourd'hui deux fois plus de fortes tempêtes sur l'Atlantique qu'il y a 100 ans.

Les changements climatiques ont-ils toujours existé ?

La Terre a traversé plusieurs époques glaciaires et connu des changements climatiques. Ainsi, au cours d'une période située entre 65 et 100 millions d'années avant notre ère, la température était plus élevée d'environ 10 ℃ et les dinosaures vivaient dans des forêts... du pôle Sud ! Mais ces changements n'ont jamais été aussi rapides qu'aujourd'hui.

En Sibérie, il y a plus de 11 000 ans, vivaient des mammouths laineux. Lorsque la température s'éleva de quelques degrés, il est possible qu'ils n'aient pas pu supporter la chaleur et aient ainsi disparu.

Sommes-nous dans l'eau jusqu'au cou ?

Les inondations semblent se multiplier dans le monde. Entre 2005 et 2007, aux États-Unis, en Inde, en Grande-Bretagne et en Europe de l'Est, des pluies torrentielles ont provoqué des glissements de terrain et fait déborder les fleuves, inondant rues et maisons. En 2010, un cinquième du Pakistan fut inondé par une mousson torrentielle. Les dégâts furent considérables, laissant des millions de personnes sans abri.

Les scientifiques estiment que l'Europe ainsi que les États-Unis reçoivent aujourd'hui 5 % de précipitations (pluie, grêle et neige) de plus qu'il y a un siècle.

Pourquoi tant de bitume ?

Construire des routes et des parcs de stationnement en grand nombre dans le monde entier favorise les inondations. Les sols couverts de bitume ne peuvent plus absorber l'eau des pluies et des orages. Ces eaux ruissellent sur ces surfaces dures, causant parfois de très importants dégâts.

Le manque d'eau est une autre calamité. L'Australie a subi une sécheresse de six ans de 2001 à 2007, la plus sévère jamais enregistrée dans ce pays. En 2007, ce fut le tour de l'Europe du Sud d'être asséchée, et en 2011, l'Afrique de l'Est a connu la pire sécheresse depuis 60 ans.

La pluie ne tombe-t-elle plus ?

Il y a de plus en plus de sécheresses. Lors de ces périodes, la pluie ne tombe plus, il y a de moins en moins d'eau potable et la terre desséchée ne permet plus aucune récolte. Depuis les années 1970, le nombre de sécheresses graves a doublé dans le monde.

Les pôles sont-ils une menace ?

La Terre tourne sur elle-même autour d'un axe imaginaire allant du pôle Nord au pôle Sud. Le pôle Nord est dans l'Arctique, le pôle Sud dans l'Antarctique. L'un comme l'autre sont recouverts de glace, mais une hausse de température, même infime, fait fondre d'énormes blocs de glace, les icebergs, qui se détachent de la banquise. En fondant, ils font dangereusement monter le niveau des océans.

Bientôt il n'y aura plus assez de glace dans l'océan Arctique pour que les ours blancs y vivent. Ils dépérissent déjà, car leurs terrains de chasse se réduisent.

Pourquoi la glace est-elle utile à la Terre?

Grâce à sa couleur blanche, la glace reflète les rayons du Soleil et aide la Terre à garder sa fraîcheur. Les calottes glaciaires sont un habitat accueillant pour les animaux polaires tels que les manchots et les ours blancs.

Si toute la glace du Groenland fondait dans l'Arctique, le niveau de la mer s'élèverait d'environ 7 mètres. Des villes côtières seraient submergées et des pays situés sous le niveau de la mer, comme le Bangladesh, seraient engloutis.

Quel avenir pour les glaciers?

La superficie totale des zones glaciaires sur la Terre s'est réduite de moitié au cours du siècle dernier.

Les glaciers sont d'immenses fleuves de glace qui se déplacent très lentement. En s'éloignant de leur source, ils se transforment en ruisseaux, alimentant en eau les habitants des proches vallées. Mais les glaciers fondent aujourd'hui si vite que leur eau devient rare. Certains pourraient même disparaître complètement.

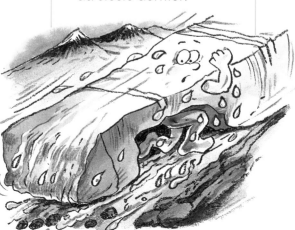

Un trou dans la couche d'ozone ?

La couche d'ozone qui filtre les rayons dangereux du Soleil se situe très haut dans l'atmosphère. Cette couche protectrice a été abîmée par des produits chimiques, les chlorofluoro-carbones (CFC), utilisés dans les bombes aérosols et les réfrigérateurs. L'utilisation fréquente de ces CFC a fini par détruire en partie la couche d'ozone, créant un gros trou au-dessus de l'Antarctique.

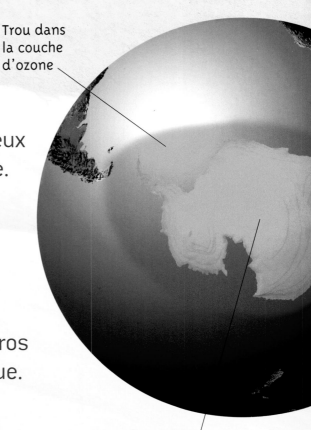

Trou dans la couche d'ozone

Antarctique

Le trou est-il là tout le temps ?

Non, le trou s'ouvre et se referme selon les saisons. Le plus gros trou jamais repéré est apparu au-dessus de l'Antarctique en 2006. Il n'y a pas de trou au-dessus de l'Arctique, mais les scientifiques ont observé que la couche d'ozone s'y est amincie. Depuis 1987, on utilise beaucoup moins de CFC et la couche d'ozone se porte mieux.

Les CFC ont été remplacés par les hydrochlorofluorocarbones (ou HCFC), beaucoup moins nocifs mais encore plus difficiles à orthographier !

Comment l'eau peut-elle être nocive ?

Nous avons besoin d'eau pour vivre, mais quand les produits chimiques et les déchets humains se déversent dans les rivières et les lacs, l'eau devient polluée. Cette pollution tue 5 millions de personnes chaque année, soit 14 000 morts par jour !

Quand le pétrole devient-il mortel ?

Quand les réservoirs d'un pétrolier fuient, cela abîme gravement l'environnement, nuisant particulièrement aux animaux marins : oiseaux, phoques, loutres de mer... Le pétrole englue leurs plumes ou leur peau, les empêchant de bouger, de se nourrir et de se réchauffer.

En 1999, le pétrolier *Erika* a déversé 19 000 tonnes de pétrole au large de Penmarc'h, en Bretagne. Cette marée noire a tué entre 80 000 et 150 000 oiseaux et a détruit 150 hectares de parcs à huîtres.

Pourquoi a-t-on parfois du mal à respirer?

Les fumées des usines et les émanations des tuyaux d'échappement de moteurs libèrent de la poussière et des gaz dans l'air, le rendant irrespirable. Au-dessus de certaines villes, on peut voir flotter un gros nuage de pollution. On appelle ce phénomène le « smog » (brouillard épais).

En 1952, le smog qui planait sur Londres a tué 12 000 personnes. Ce brouillard dense fut appelé « purée de pois », car il était épais comme une purée de pois cassés.

Pourquoi certains animaux migrent-ils ?

Les animaux ressentent les changements climatiques. Pour fuir le réchauffement de leur lieu de vie, certains se déplacent vers des régions plus froides. En Amérique du Nord, par exemple, le renard roux migre vers l'Arctique, menaçant ainsi le renard polaire, moins résistant que son cousin venu du sud.

Quels animaux n'ont plus d'habitat ?

Les éléphants vivent dans les savanes d'Afrique et d'Asie. De nos jours, elles sont souvent transformées en terres cultivables. Chassés de leurs pâturages naturels, les éléphants ne savent plus où aller pour se nourrir. Ce qui veut dire que leur espèce pourrait s'éteindre.

Qui est le pire ennemi du tigre ?

Pendant longtemps, les hommes ont chassé le tigre pour sa fourrure, ou tout simplement pour le plaisir. En Asie, où il vit, il avait la réputation d'être un mangeur d'homme. Chasser le tigre est aujourd'hui interdit, car il est considéré comme une espèce en danger. Mais des braconniers continuent pourtant de les tuer, certains de leurs organes étant utilisés comme remèdes traditionnels.

Beaucoup de pikas américains (parfois appelés « lapins des roches ») cherchent refuge en altitude parce qu'ils aiment la fraîcheur. Un climat trop chaud pourrait les faire disparaître.

Le dodo était un oiseau incapable de voler qui ne vivait que sur l'île Maurice. Il a disparu il y a plus de 300 ans, exterminé par les chasseurs qui colonisèrent son territoire.

Quelle énergie ne s'épuise jamais ?

L'énergie qui provient de l'eau, du vent ou du Soleil s'appelle l'énergie renouvelable. À la différence du pétrole, du gaz ou du charbon, elle ne s'épuise jamais. De plus, elle ne produit pas de gaz carbonique et donc n'accélère pas le réchauffement de la planète.

Les scientifiques cherchent à produire de l'énergie à partir du mouvement des vagues. Ainsi, un jour, nos maisons pourraient être alimentées en électricité par l'énergie des vagues.

Comment le Soleil peut-il éclairer aussi nos nuits ?

Les cellules photovoltaïques fabriquent de l'électricité à partir des rayons du Soleil. On peut s'en servir dans les lampes de jardin ou pour chauffer toute la maison grâce à des panneaux installés sur le toit. Les chauffe-eau solaires utilisent la chaleur du Soleil pour fournir de l'eau chaude.

Panneaux solaires

Si le désert du Sahara était recouvert de panneaux solaires, il produirait plus d'électricité que le monde ne peut en consommer.

Comment capter le vent ?

Il y a très longtemps que les hommes utilisent la force du vent. Les premières machines à avoir su capter cette énergie étaient les moulins à vent. Aujourd'hui, de grandes pales tournoient dans les parcs d'éoliennes partout dans le monde. Ce type de parc peut aussi être construit en mer.

Certaines centrales se mettent à brûler du fourrage (paille, osier, herbe à éléphant) pour produire de l'électricité.

Comment voyager «propre»?

Les avions émettent une quantité énorme de gaz carbonique. Si l'on voulait voyager plus « propre », il faudrait passer ses vacances plus près de chez soi. Si tu dois voyager en avion, c'est mieux de prendre un vol direct parce que décoller et atterrir dépense beaucoup d'énergie.

Que sont les kilomètres alimentaires?

Quand tu manges un produit venant de loin, pense à tous les « kilomètres alimentaires » qu'il a parcourus pour arriver jusqu'à toi et à l'énorme quantité de gaz carbonique que son déplacement a créée. Se nourrir de produits locaux de saison est bien meilleur pour l'environnement.

Et pourquoi ne pas prendre le car ?

Voyager en groupe, en train ou en car est plus respectueux de l'environnement qu'utiliser une voiture individuelle. L'énergie dépensée par les transports collectifs est ainsi partagée par de nombreuses personnes et non par seulement deux ou trois !

Pour contribuer à protéger l'environnement, la marche ou le vélo sont préférables à la voiture qui, elle, brûle de l'essence.

Si plusieurs personnes partagent la même voiture, elles dépensent moins d'énergie. Grâce à Internet notamment, le covoiturage se développe de plus en plus.

Pourquoi les déchets sont-ils si dangereux ?

La plupart de nos déchets sont brûlés ou enterrés dans des décharges.
Une solution peu écologique car ces sites rejettent des gaz nocifs dans l'air. De plus, la pluie peut imprégner le sol des poisons provenant de ces déchets et polluer les réserves d'eau.

Qu'appelle-t-on les trois R ?

Réduire, réutiliser, recycler. Nous devrions jeter moins, réutiliser les choses autant que possible et, quand nous n'en avons plus besoin, les recycler plutôt que les jeter. On pense que 70 % de nos déchets pourraient être recyclés.

Recycler une boîte de conserve en aluminium peut économiser l'énergie nécessaire pour faire marcher une télévision pendant trois heures.

Le ver de terre est-il l'ami de l'homme ?

Fabriquer du compost est la solution idéale pour réduire le gaspillage et fertiliser le jardin. Mets les pelures de fruits, les épluchures de légumes, les coquilles d'œuf et les journaux dans une poubelle spéciale dans le jardin. Les vers et les insectes les transformeront en compost.

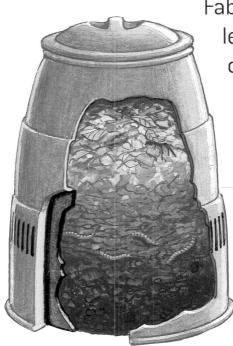

Le papier journal est excellent pour un compost réussi. Haché, mâché et réduit en poussière par de minuscules bestioles, il maintient l'humidité nécessaire à la décomposition des déchets.

Qu'est-ce qu'une « maison verte » ?

Une « maison verte » aura, par exemple, des panneaux solaires pour l'électricité, un chauffe-eau solaire et une turbine éolienne sur le toit. Une bonne isolation permettra de conserver la chaleur longtemps. À l'extérieur, l'eau de pluie sera recueillie dans une citerne et les déchets alimentaires déposés dans une poubelle à compost.

Baisse la chaleur de 1°C permet d'économiser l'énergie et de diminuer la facture de chauffage. Tu ne sentiras même pas la différence !

Panneaux solaires

Chauffe-eau solaire

Poubelle à compost

Est-ce vraiment éteint ?

Les appareils électriques laissés en veille, (c'est-à-dire sans être éteints complètement) dépensent de 10 à 60 % de l'énergie qu'ils consomment quand ils fonctionnent. Alors, pour le bien-être de ta planète, pense à éteindre vraiment la télévision, la chaîne hi-fi ou ton ordinateur quand tu ne t'en sers pas !

En France, on estime que, dans un foyer moyen, plus de 10 appareils restent en veille en permanence. Cela représente beaucoup d'énergie perdue.

Le jardin d'hiver retient la chaleur.

Pourquoi certaines ampoules sont-elles gourmandes ?

La plus grande partie de l'énergie des ampoules électriques ordinaires se transforme en chaleur et non en lumière. S'éclairer avec des ampoules à basse consommation, moins gourmandes en électricité, économise l'énergie.

Turbine éolienne

Citerne d'eau de pluie

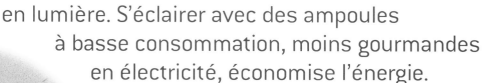

Murs isolants

Comment économiser encore plus d'énergie ?

Éteins la lumière quand tu quittes une pièce et ne gaspille pas l'eau chaude. Quand tu prends une douche ou un bain, n'utilise que la quantité d'eau dont tu as besoin pour te laver.

Une ampoule à basse consommation ne dépense qu'un quart de l'électricité que consomme une ampoule ordinaire, et elle dure douze fois plus longtemps.

Index